LE SECRET DU TEMPLE

WALT DISNEY
COLLECTION MYSTÈRE

LE SECRET
DU TEMPLE

HACHETTE ÉDITION

Ont collaboré à cet ouvrage :
Philippe Gasc pour le scénario et pour le texte,
Benoît Bayart pour les illustrations,
Massimiliano Calo pour l'encrage,
Jean-Jacques Chagnaud pour la mise en couleurs,
Max Monteduro pour la mise en couleurs de la couverture.

Chapitre 1
CHASSE À L'HOMME

Il est vingt heures trente à l'horloge de la grande poste de l'avenue Ashika. Les uns après les autres, les lampions des devantures des magasins s'éteignent. La circulation est calme et les habitants de Milong rentrent chez eux.

Tout à coup, dans un crissement de pneus, une décapotable rouge apparaît et s'engage à une vitesse folle sur l'avenue. Elle est serrée de près par une voiture de patrouille qui, toutes sirènes hurlantes, l'a prise en chasse.

Rien ne semble arrêter le conducteur du petit coupé. Ni les feux rouges qu'il grille allègrement, ni les panneaux de signalisation dont il semble se moquer. Le pied au plancher, il fonce droit devant lui, laissant sur son passage des voitures embouties, des étalages renversés et des piétons terrorisés.

Pourtant, derrière lui, la poursuite s'organise. Le premier véhicule est rejoint par un second, puis par un troisième patrouilleur.

Tournant à gauche, l'automobiliste s'engage sur un boulevard qu'il remonte à contresens.

Ébloui par les phares des voitures qui lui foncent dessus, assourdi par les coups de klaxon, il franchit le pont Nabako et se dirige vers la gare routière.

La circulation est de plus en plus dense. Actionnant leurs sirènes, les voitures de police se rapprochent peu à peu du chauffard.

Elles l'ont presque rattrapé, quand un monstre d'acier surgit et leur coupe la route brutalement. C'est l'autobus de Kawabé. En sortant de la gare, le chauffeur n'avait pas prévu de tomber en plein rodéo. Il a beau se dresser sur sa pédale de frein, il ne peut éviter de venir percuter deux voitures de

police qu'il envoie voler dans la vitrine d'un grand magasin.

Pour le policier de la troisième voiture, la poursuite n'est pas terminée. Il refuse d'abandonner, et il relance la chasse.

Première… seconde… troisième… Un petit coup de volant pour monter sur le trottoir. Un appel de phares pour que s'écarte le petit vendeur de gâteaux et le policier se retrouve à la hauteur de la voiture rouge.

Au même instant, le conducteur du coupé tourne la tête et lui sourit.

La surprise du policier est telle qu'il en oublie de regarder la route. Hélas ! lorsqu'il reprend ses esprits, il est trop tard.

Dans un grand crissement de pneus, sa voiture quitte sa trajectoire et va percuter la devanture d'un magasin de souvenirs.

« Le Bonze… c'était le Bonze… » murmure le policier en sortant péniblement de la carcasse encore fumante de son véhicule.

Chapitre 2
UN TÉMOIN CAPITAL

Dans les rues de Milong, un homme mystérieux, au volant d'une décapotable rouge, parvient à semer trois voitures de police.

Bienvenue dans notre pays !

C'est par ces mots que les visiteurs étrangers sont accueillis au temple de la Paix Céleste dont les murs se dressent sur les pentes du mont Ikiwa.

Ce matin-là, Minnie et Mickey ont décidé de profiter de leur séjour au Rha-Jong oriental pour visiter ce musée, haut lieu de culture et d'art ancien.

Fascinée, Minnie ne peut détourner son regard des différents bonsaïs, ces splendides petits arbres exposés au fil des salles.

« Oh ! Celui-là ferait bien sur la table de

ton salon ! Tu ne crois pas ? Et là, viens voir ! » ajoute-t-elle sans laisser à Mickey le temps de répondre.

Minnie vient de tomber en extase devant la salle des jardins.

« Vraiment adorable ! Tu as vu, Mickey ? Ces petits ponts de bois, ces petites allées serpentant au milieu de bosquets minuscules. On rêverait d'y passer sa vie, non ? »

Visiblement, le détective a d'autres préoccupations en tête. Il semble à la recherche de quelqu'un. S'approchant d'un guide, il demande :

« Monsieur Sesho est-il là, s'il vous plaît ?

– Désolé, honorable étranger, répond le guide en s'inclinant, personne n'a vu monsieur Sesho aujourd'hui. »

Un léger murmure traverse la foule des visiteurs.

Celle-ci se divise en deux, laissant passer un groupe de policiers en tenue.

Après un rapide tour d'horizon, leur chef se dirige directement vers nos amis.

« Vous êtes les honorables Mickey et Minnie, je présume.

– Oui, réplique Mickey. Que pouvons-nous faire pour vous ?

– Mon chef, le vénéré commissaire Fhou, souhaiterait vous rencontrer… Si vous voulez bien avoir l'extrême gentillesse de nous suivre. »

Sous le regard interloqué des autres visiteurs, les deux détectives quittent le musée, et montent dans la voiture de police qui les attend à l'extérieur.

N'ayant rien à se reprocher, Minnie ne peut s'empêcher d'interroger le policier sur l'objet de leur « invitation », mais l'inspecteur refuse de parler.

« Le commissaire Fhou répondra lui-même à toutes vos questions, mademoiselle », dit-il en souriant.

Les deux détectives sont encore plus intrigués lorsque la voiture stoppe devant l'hôpital central de Milong.

Guidés par l'inspecteur, ils s'engagent dans un ascenseur.

Au septième étage, les portes s'ouvrent et, après avoir suivi un couloir immaculé, le groupe pénètre dans une chambre.

Deux policiers en tenue montent la garde près de la porte.

Près du lit où repose le malade, se tient un petit personnage rondouillard au sourire figé. Il s'avance vers nos amis et se présente.

« Commissaire Fhou !... Vous êtes Mickey et Minnie, je suppose ?

– Tout à fait, confirme Mickey. Pourriez-vous nous dire pourquoi vous nous avez fait venir dans cette chambre d'hôpital ?

– Bien sûr, monsieur Mickey. J'aimerais savoir si vous connaissez cet homme. »

Mickey tourne la tête vers le blessé qui est en bien piteux état.

« À première vue, non ! Pourquoi, je devrais le connaître ? »

Tout à coup, le blessé, resté jusque-là silencieux, se met à geindre. Au milieu de ses gémissements, nos amis ont la stupeur de l'entendre dire :

« Prévenir Mickey… Il doit savoir ! Il faut prévenir Mickey ! »

Le détective se penche alors sur l'homme et, à sa grande stupéfaction, il reconnaît Sesho, avec qui il avait rendez-vous au temple de la Paix Céleste.

« Sesho, mon ami ! C'est moi, Mickey ! »

Le commissaire le prend par le bras et le tire lentement en arrière.

« Il ne peut pas vous entendre, monsieur Mickey. Il est inconscient.

– Que lui est-il arrivé, commissaire ?

– L'histoire est un peu longue, si vous voulez bien vous asseoir tous les deux, je vais vous la raconter. Comme vous le savez, le Rha-Jong oriental est spécialisé dans la micro-informatique et l'électronique. Or, depuis quinze jours, les plus importantes entreprises de notre pays sont cambriolées par un individu que la police ne réussit jamais à capturer. Chaque fois, après s'être emparé du butin, l'homme disparaît littéralement pour réapparaître plus loin, filant ainsi entre les doigts de la police.

– Que vient faire Sesho dans cette histoire ? demande Mickey. Il ne travaille pas dans l'électronique, que je sache.

– Laissez-moi poursuivre. Hier matin, les pompiers l'ont transporté d'urgence à l'hôpital. D'après les témoins, une voiture lui a foncé dessus alors qu'il traversait la rue. Ce qui m'a amené à vous contacter, c'est que depuis son arrivée ici, ce monsieur délire et ne cesse de prononcer votre nom ainsi que celui du voleur que nous appelons le Bonze. »

En entendant la dernière phrase du commissaire, Mickey et Minnie sursautent.

« Un bonze ! s'exclame Mickey. Vous avez bien dit un bonze ! »

Minnie plonge alors la main dans son sac et en sort un petit papier plié en quatre qu'elle tend au commissaire.

Celui-ci l'ouvre et lit à haute voix :

Rendez-vous demain matin, dans la salle des jardins du temple de la Paix Céleste. J'ai vu le Bonze, et c'est signé : *Votre ami Sesho.*

Le commissaire Fhou est très perplexe.

« Ainsi monsieur Sesho a aperçu notre voleur… Si seulement il était venu nous en parler, nous aurions pu le protéger. Mickey, est-ce que vous savez pourquoi Sesho a fixé votre rendez-vous au musée ?

– Tout simplement parce qu'il y travaille. Il s'occupe de l'entretien des bonsaïs et de tous les jardins du temple.

– Pendant que je donne quelques coups de téléphone, je vous laisse auprès de votre ami. Ensuite, je vous ramènerai où vous le désirez.

– Nous vous en remercions », répond Mickey.

Dans son lit, Sesho, plus calme, dort paisiblement.

« Pourvu que ce ne soit pas trop grave », murmure Mickey.

À son retour, le commissaire s'approche de Minnie et Mickey et leur propose :

« Accepteriez-vous de nous accompagner dans les bureaux de la police ? Mais pas en tant que témoins cette fois. La police de notre ville serait très honorée que la célèbre Agence Mickey et Minnie Détectives accepte de l'aider dans cette difficile enquête. »

Sans aucune hésitation, Mickey et Minnie acceptent.

Quelques instants plus tard, ils sortent de l'hôpital et s'engouffrent de nouveau dans la voiture de police qui, toutes sirènes hurlantes, démarre en trombe et file en direction du quartier général.

Chapitre 3
UN VOLEUR MYSTÉRIEUX

Mickey et Minnie viennent rendre visite à leur ami Sesho, au temple de la Paix Céleste. Ils sont rejoints par la police, qui les mène auprès de Sesho, hospitalisé.

À deux heures du matin, les locaux de la société Tamaïoshi sont vides et le garde commence sa troisième ronde de la nuit.

Ronde classique : vérifier que les portes sont bien fermées et que toutes les lumières sont éteintes. S'assurer que personne ne s'est introduit par effraction dans les bâtiments, et tester le bon fonctionnement du système de vidéosurveillance.

« Caméra numéro un : le couloir central, personne. Caméra numéro deux : le bureau de recherche… tout est calme ! Caméras trois, quatre et cinq : les accès au laboratoire... rien à signaler. Caméra numéro six : le laboratoire... tranquille ! Caméra numéro sept : le parking... O.K. ! »

En repassant devant la caméra de surveillance du couloir central, M. Toïto, le veilleur de nuit, fait un petit signe de la main à ses camarades du poste de garde.

Tout à coup, une ombre apparaît sur l'écran de contrôle du laboratoire de micro-informatique. La silhouette d'un bonze en robe jaune traverse la pièce. Il porte sur le visage un masque entièrement blanc, sans expression.

L'image se fige.

Mickey, Minnie et les policiers sont assis devant un poste de télévision, dans le bureau du commissaire Fhou. Ils visionnent l'enregistrement vidéo du dernier cambriolage du Bonze.

« N'avez-vous rien remarqué de bizarre ? demande le commissaire.

– Si ! s'exclame Minnie, très intriguée. Comment est-il entré à l'intérieur des bâtiments de la société ?

– Exact, reprend Mickey. On ne l'a vu

nulle part sur les autres caméras de surveillance. Comment fait-il ?

– Voilà ce que nous n'arrivons pas à
comprendre. Personne ne sait comment il
entre, ni comment il sort. »

Tandis que sur la caméra numéro un, le
veilleur de nuit s'éloigne en direction du
poste de garde, sur la six, le Bonze s'approche
d'une vitrine, dans laquelle est exposé le
nouveau microprocesseur de la société
Tamaïoshi.

Petite merveille de miniaturisation, cette
puce révolutionnaire vaut une fortune.
D'un coup sec, le Bonze brise la vitre du
présentoir.

Dans tous les couloirs, les sirènes d'alarme se mettent à hurler. Sur le tableau de
contrôle du poste de garde, le voyant rouge
du laboratoire s'est allumé et clignote.

Pendant qu'un des gardiens prévient la
police, les trois autres se précipitent vers
le laboratoire.

L'image se fige à nouveau.

« Ceci est extraordinaire ! remarque le
commissaire. Chez n'importe quel voleur,
le déclenchement d'une sirène d'alarme

provoque un début de panique mais pour lui, non ! Regardez ! »

En effet, ni le bruit assourdissant de l'alarme, ni l'imminence de l'arrivée des gardiens ne troublent le Bonze. Le plus calmement du monde, il plonge la main dans le présentoir et en retire le microprocesseur. Il le glisse ensuite dans une des larges poches de sa robe, et se dirige vers la porte… Et là, le mystère se reproduit une nouvelle fois.

Quand il quitte le laboratoire, le Bonze sort du champ des caméras, mais il ne réapparaît nulle part. Les caméras trois, quatre et cinq n'enregistrent rien. Rien que des couloirs vides.

Au bout de quelques secondes, les trois gardiens apparaissent sur les écrans. Pour être sûrs de cerner leur homme, ils ont chacun pris un couloir différent. L'arme à la main, les trois hommes s'approchent du laboratoire en rasant les murs.

« Veilleur numéro un à poste de garde. Ma porte est verrouillée.

– La mienne aussi, constate le numéro deux.

– Veilleur numéro trois, porte fermée !

– Alors faites attention à vous car il a dû se cacher à l'intérieur », les avertit leur collègue du poste central.

En prenant mille précautions, les gardiens déverrouillent les trois serrures électroniques et pénètrent dans le laboratoire. Leurs têtes apparaissent sur l'écran de la caméra numéro six.

La fouille du laboratoire commence, mais il faut bien se rendre à l'évidence : la pièce est vide et le Bonze n'est plus là.

Un cri strident retentit tout à coup dans les haut-parleurs :

« Bon sang, il se trouve dans le parking ! »

En effet, le voleur vient d'apparaître sur l'écran de la caméra numéro sept.

D'un pas tranquille, il traverse le parking et se dirige vers les voitures en stationnement. Il hésite un peu puis il s'approche d'un petit coupé rouge.

« Toïto ! Vite ! Il va voler ta voiture ! hurle le vigile resté dans le poste de garde.

– Ma bagnole ! » répond en écho la voix affolée du gardien.

Prenant ses jambes à son cou, Toïto se

rue dans les couloirs en direction du parking. Mais il est trop tard. Le garde a beau courir, quand il arrive sur place, sa petite voiture rouge disparaît dans un nuage de poussière…

Fin de l'enregistrement !

« Qu'en pensez-vous ? questionne le commissaire.

– Difficile à dire, avoue Mickey. Deux hypothèses s'offrent à nous. Soit il existe un passage secret pour accéder au laboratoire, soit le système de vidéosurveillance est truqué et l'enregistrement de la fuite du Bonze dans les couloirs a été effacé.

– Nous avons, bien sûr, envisagé ces deux possibilités. Les plans des bâtiments et les murs ont été passés au peigne fin, explique le commissaire. Il n'y a aucun passage secret chez Tamaïoshi. D'autre part, le système vidéo a été vérifié par les spécialistes de la police et il s'avère qu'il n'y a aucun trucage. Nous ne savons plus comment faire. Aussi, si vous acceptiez de vous joindre à nous, votre expérience nous serait d'un immense secours. »

Mickey et Minnie acceptent aussitôt. Ils n'ont jamais été confrontés à une telle énigme. Comme le commissaire leur a annoncé qu'il y avait eu quatre cambriolages au total, Mickey et Minnie lui demandent l'autorisation de visionner l'ensemble des cassettes vidéo des quatre effractions.

« Sans aucun problème », leur répond-il.

Un policier entre alors dans le bureau :

« La presse est là, commissaire. Elle veut à tout prix vous rencontrer. »

À peine le policier a-t-il fini sa phrase que la porte est brutalement poussée dans son dos, laissant entrer une horde de photographes qui les mitraillent à tout-va.

Tandis que Minnie et Mickey se glissent dans le bureau voisin, le commissaire prend la parole :

« Honorables correspondants de presse, je vous écoute. »

Chapitre 4
DANS L'ANTRE
DU BONZE

Le commissaire Fhou a demandé à Mickey et Minnie de l'aider dans son enquête. Car à chaque fois que le voleur opère, il disparaît aussitôt.

Le lendemain matin, Mickey et Minnie commencent leur enquête par une visite aux différentes sociétés cambriolées.

Et, à chaque fois, ils entendent la même histoire. Quelle que soit la taille de l'entreprise, le nombre de ses gardes, la sophistication de son système d'alarme, le voleur est apparu directement dans la pièce à cambrioler, puis il a disparu. Il s'est produit la même chose chez Yosuiapïeh, où le directeur leur explique :

« Nous avons fait installer des détecteurs

de présence thermique. Les appareils ne se sont déclenchés que dans le laboratoire. Ils n'ont rien détecté, ni dans les couloirs ni ailleurs. »

Pendant ce temps, dans les rédactions des différents journaux du Rha-Jong, tout le monde ne parle plus que du dernier méfait du Bonze.

« Le Voleur insaisissable », titre le *Rha-Jong Soir.*

« Sorcier ou Magicien ? » peut-on lire en première page du *Milong News.*

Vient ensuite l'interview du commissaire Fhou qui révèle l'impuissance des forces de l'ordre.

Convoqué d'urgence dans le bureau de son patron, Fhou fait triste mine.

Hors de lui, son chef fait les cent pas en brandissant un exemplaire du *Milong News.*

« Vous êtes complètement fou, Fhou ! Dire des choses pareilles à la presse : ...*Nous en sommes au quatrième cambriolage, et nous n'avons encore aucune piste...*

– Que pouvais-je dire d'autre, monsieur le directeur ? J'aurais dû mentir ?

– Bien sûr qu'il fallait mentir… Que va dire le ministre, maintenant ! Vous devez trouver une solution, vous m'entendez, Fhou ? se met à hurler son supérieur. Je vous ordonne de mettre la main sur ce Bonze !

– Je vais essayer, chef… je vais essayer ! » bafouille le commissaire.

Dans son repaire, le Bonze ouvre avec précaution le coffre qu'il a dissimulé dans le pied d'une statue de bronze. Debout devant la porte ouverte, il contemple les chefs-d'œuvre d'électronique qu'il a déjà dérobés : mini-capteurs, puces, etc. Il plonge ensuite la main dans sa poche, en ressort le microprocesseur qu'il vient de voler et le pose à côté des autres objets.

« La vente de ces pièces va me rapporter une petite fortune ! » murmure-t-il.

Après avoir refermé la porte du coffre, il s'installe dans son fauteuil et allume la télévision.

« Madame, monsieur, bonsoir ! »

À sa grande satisfaction, le journal du soir ne parle que de lui, de son dernier cambriolage et de la conférence de presse donnée par le commissaire Fhou.

« … Et comme vous pouvez le voir en première page de tous nos confrères, annonce le présentateur, le commissaire Fhou a décidé de faire appel à deux conseillers étrangers. »

Le journaliste montre à la télévision plusieurs journaux où trône la photo de Fhou.

D'un bond, le Bonze se lève et se dirige vers son bureau où traînent les journaux du jour. Il observe intensément les photos.

Le commissaire Fhou ne l'intéresse pas.

« C'est un imbécile qui ne m'attrapera jamais, murmure le Bonze. Mais qui sont ces deux étrangers debout derrière lui, et qu'on remarque à peine. Étrange… où ai-je déjà vu ces visages ? »

Il a beau faire des efforts désespérés de mémoire, il n'arrive pas à s'en souvenir.

« Ça y est, je sais ! » s'écrie-t-il.

L'instant d'après, le voleur se glisse dans les jardins du temple de la Paix Céleste. À cette heure, les touristes sont peu nombreux. Dissimulé derrière un bosquet d'aubépine, il lui suffit d'attendre que les derniers visiteurs quittent le musée.

Le Bonze sort alors de sa cachette et pénètre dans le bâtiment réservé au personnel.

Il s'arrête devant la porte d'un appartement. Sur cette porte est vissée une plaque de cuivre sur laquelle est écrit le nom du locataire : *Oke Sesho*.

Glissant une clef dans la serrure, le Bonze ouvre la porte et pénètre à l'intérieur.

Sans bruit, il se met à retourner toutes les affaires personnelles du jardinier.

En fouillant la chambre, il découvre ce qu'il cherchait : la photographie de Minnie, Mickey et Sesho, devant le siège de l'Agence Mickey & Minnie Détectives, à Mickeyville.

« Ahhh ! Encore ces deux satanés fouineurs ! maugrée le Bonze. Je savais bien que je les avais vus quelque part ! »

Dans un mouvement de colère, il brise le cadre, en arrache la photographie et la déchire en mille morceaux.

À l'hôpital central de Milong, Mickey et Minnie pénètrent dans la chambre de leur ami. Infirmières et médecins s'affairent autour de lui.

« Vous êtes de la famille ? questionne un des médecins.

– Des amis, précise Mickey. Des amis très proches. Comment va-t-il ?

– Beaucoup mieux, même s'il est toujours inconscient. »

Mickey s'approche lentement du lit.

« A-t-il prononcé quelques mots pendant son sommeil ?

– Pas que je sache, réplique le médecin.

– Ah si, fait une des infirmières. Cet après-

midi, il a eu une petite crise et dans son délire, il s'est mis à parler du temple où il travaille et d'une "porte de l'harmonie suprême".

– D'une quoi ? s'exclame Mickey.

– Il a simplement murmuré : "la porte de l'harmonie suprême". »

Mickey et Minnie se regardent, très intrigués.

Une fois le personnel soignant sorti de la chambre, Minnie s'approche de Mickey.

« Le mieux serait de nous séparer. Qu'en penses-tu ?

– Tu as raison. Dès demain, je visionnerai toutes les cassettes enregistrées pendant les cambriolages. Il y a sûrement un détail qui nous a échappé.

– Et moi, je retournerai au temple de la Paix Céleste. Je pense qu'il est temps d'aller poser quelques petites questions au directeur du musée », suggère Minnie.

Chapitre 5
UN DRÔLE
DE BONHOMME

Mickey, Minnie et le commissaire piétinent dans leur enquête, ce qui fait la joie du Bonze. Enfin presque…

Le lendemain matin, après avoir garé sa voiture sur le parking extérieur, Minnie se dirige vers la porte d'entrée du temple. Elle s'approche d'un gardien et s'incline.

« Veuillez excuser mon audace, monsieur, mais serait-il possible de rencontrer le directeur du musée ?

– Honorable visiteuse, je vais voir s'il peut vous accorder une audience. Qui dois-je annoncer ?

– Je suis Minnie, une amie de monsieur Sesho. »

Restée seule dans le temple, Minnie ne peut s'empêcher d'admirer de nouveau les extraordinaires petits jardins.

Et là, merveille des merveilles, elle découvre dans la salle principale la reproduction miniature du temple de la Paix Céleste. Il est si beau et si parfait, que Minnie en a le souffle coupé.

Le garde réapparaît peu après :

« Suivez-moi, mademoiselle. Le directeur vous attend. »

Minnie est introduite dans un appartement somptueux. Assis sur des coussins multicolores, l'homme trône au milieu d'une multitude de chats.

Il porte le costume traditionnel du Rha-Jong, de petits chaussons noirs, et peigne sa barbiche du bout de ses ongles.

Après avoir observé Minnie pendant d'interminables secondes, l'homme se décide enfin à parler.

« Que puis-je pour vous, honorable étrangère ? »

Minnie est très mal à l'aise face à ce drôle de personnage, d'autant que ses chats ne cessent de lui lancer des regards mau-

vais. Certains semblent prêts à se jeter sur elle pour la griffer.

« Je vous ai posé une question, reprend sèchement l'homme.

– Veuillez m'excuser, monsieur, mais je pensais à monsieur Sesho. Son état de santé m'inquiète. Vous savez sans doute qu'il est à l'hôpital ?

– Je l'ai entendu dire, réplique l'homme, mais en quoi suis-je concerné ?

– En rien, monsieur... en rien. Je voulais juste avoir quelques renseignements sur monsieur Sesho, et vous me sembliez le mieux placé pour m'en donner. »

L'homme détourne la tête vers ses chats qu'il caresse tendrement. Puis, de ses petits yeux cruels, il fixe Minnie.

« Monsieur Sesho est un incapable ; un rêveur et un fabulateur. Il passait son temps à inventer des histoires plus abracadabrantes les unes que les autres et perturbait la bonne marche de ce musée.

– Dois-je comprendre que vous ne regrettez pas son absence ? s'étonne Minnie.

– Vous m'avez parfaitement compris. Notre temple est un lieu de calme, de tranquillité et de paix, comme son nom l'indique, ajoute l'homme. Les perturbateurs ainsi que les étrangers n'y sont pas les bienvenus ; les uns car ils dérangent le calme naturel de cet endroit ; les autres car ils ne comprennent rien à notre art. »

Il se retourne vers le mur, se saisit d'un cordon de soie sur lequel il tire deux petits coups secs. La porte s'ouvre aussitôt et un gardien apparaît.

Le directeur du musée se tourne alors vers sa visiteuse.

« Ravi de vous avoir rencontrée, mademoiselle. »

Minnie refuse d'être mise à la porte aussi facilement et demande :

« Est-ce qu'il me serait possible de voir l'appartement de notre ami ? »

La question semble lui déplaire. Néanmoins, il se tourne vers le garde et lui dit :

« Veuillez accompagner cette jeune personne dans l'appartement du jardinier. »

L'homme ferme alors les yeux et se replonge dans ses pensées. Seuls ses chats suivent Minnie du regard.

Au même instant, au commissariat, Mickey visionne pour la vingtième fois les cassettes vidéo des différents cambriolages du Bonze. Quelque chose lui a sûrement échappé… car un cambrioleur laisse toujours un indice derrière lui. Mickey reste persuadé qu'il va trouver une preuve. Mais à quel moment ?

« Comment avance votre enquête ? »

En entendant cette voix derrière lui, Mickey a sursauté.

« Nous n'avons encore rien de précis, et vous ?

– Rien de plus de notre côté, confirme Fhou. Nous avons mis toutes les entreprises sensibles sous surveillance, et nous avons lancé un appel à témoins dans la presse. »

Le commissaire Fhou dépose sur son bureau le paquet de journaux qu'il vient d'acheter.

« Aidons la police », « Connaissez-vous le Bonze », « Ouvrons l'œil ». Les titres sont plus accrocheurs les uns que les autres.

« Il y a sûrement en ville quelqu'un qui sait quelque chose et qui ne s'en rend pas compte, remarque le commissaire. Cette

campagne va peut-être raviver les mémoires.
Et votre amie, où est-elle ?

– Au musée. Elle prend des renseignements sur Sesho », précise Mickey en sortant son téléphone de sa poche.

Accompagnée du gardien, Minnie vient
à peine d'entrer dans l'appartement de
Sesho quand la sonnerie de son portable
résonne.

« Minnie, c'est moi. Tu as du nouveau ?

– Je crois plutôt que nous avons un petit problème, dit Minnie.

– Quel problème ? s'inquiète Mickey.

– Quelqu'un nous a précédés chez Sesho, son appartement est sens dessus dessous.»

Le passage du Bonze a en effet laissé plus que des traces. Un cyclone semble s'être invité.

Dans le salon, les meubles sont renversés, les livres et les disques jonchent le sol.

La chambre n'est pas en meilleur état. Le matelas est éventré et les vêtements forment une pile au milieu de la pièce.

En s'approchant de la table de nuit, Minnie découvre un cadre vide et des petits morceaux de verre éparpillés sur le sol.

« Notre visiteur semble s'intéresser de près à la vie privée de Sesho ! s'exclame Minnie.

– Qu'a-t-il fait ? questionne Mickey.

– Il a déchiré une photo, une simple photo qui doit avoir beaucoup d'importance pour lui… Oh !… Attends un peu ! »

Minnie s'accroupit alors à côté de la table de nuit et, écartant les petits débris de verre qui jonchent le sol, ramasse un des morceaux de la photo.

« Devine ce qui est écrit derrière cette photo ? *Studio D. Clik*.

« Le photographe de Mickeyville ! lance Mickey.

– Exact ! J'ai l'impression que le Bonze n'apprécie pas que le commissaire Fhou se soit adjoint de fins limiers comme nous », réplique Minnie.

Chapitre 6
ENCORE RATÉ !

Minnie part interroger le directeur du musée. Il se montre désagréable et critique Sesho. Puis elle découvre avec horreur l'appartement de son ami mis à sac.

Lorsque Minnie retrouve Mickey dans sa chambre d'hôtel, ils font le point de la journée passée.

« J'ai peut-être un indice, annonce Mickey… À part la technique employée par notre cambrioleur, tous les vols ont un point commun.

– Ah bon ! s'étonne Minnie. Lequel ?

– L'objet volé.

– L'objet volé ?… Je ne comprends pas. »

Mickey sort alors une feuille de papier de sa poche et la pose sur la table.

«Voilà la liste des sociétés et des éléments dérobés. À chaque vol, le Bonze n'emporte qu'un objet. Pas dix, pas cent, pas une caisse. Non, un seul et toujours de petite taille.

– À quoi songes-tu ? questionne Minnie. À un collectionneur fou ?

– Et pourquoi pas ! » réplique énergiquement Mickey.

À cet instant, le téléphone de la chambre se met à sonner.

« Monsieur Mickey, ici la réception. J'ai un appel pour vous, du commissariat central.

– Je le prends, passez-le-moi. »

La voix du commissaire remplace alors celle de la standardiste. Elle est grave, comme porteuse de mauvaises nouvelles.

« Commissaire Fhou à l'appareil. Notre ami le Bonze semble préparer un nouveau cambriolage chez Mitsuhirato Inc.

– À quelle adresse ?

– Inutile de vous déplacer, annonce Fhou, j'ai envoyé une voiture vous chercher. Je vous attends sur place. »

À peine Mickey a-t-il raccroché le combiné, que la sirène d'une voiture de police déchire la nuit.

Peu après, les deux détectives et le commissaire sont réunis dans la salle de contrôle de l'entreprise. Spécialisée dans la taille de diamants, Mitsuhirato est l'une des sociétés de pointe de la région.

« Un voisin s'est inquiété car il a aperçu un bonze masqué dans les parages et il a immédiatement prévenu la police. »

Pour tenter d'intercepter le voleur,

Fhou a posté ses hommes tout autour du bâtiment et il communique avec eux par radio.

Les heures passent et rien ne bouge ni à l'extérieur, ni à l'intérieur de la société.

« Certainement une fausse alerte », pense Mickey en fixant les écrans de contrôle.

Au moment où Fhou va donner l'ordre à ses hommes de se regrouper sur le parking, l'incroyable se produit. L'ombre du Bonze apparaît dans la pièce où l'on travaille les diamants.

Depuis le local de contrôle, le commissaire hurle à ses hommes :

« Foncez, il est dans la salle de taille ! »

Pendant que les policiers sortent de leur cachette et se ruent vers le bâtiment central, le commissaire bloque électroniquement l'ensemble des portes d'accès à cette pièce.

Mickey et le commissaire se lancent à la poursuite du voleur, laissant Minnie dans la salle de contrôle.

Sur l'écran, elle voit le Bonze qui s'approche lentement d'un des établis. Sans

aucune hésitation, il choisit le plus beau et le plus parfait diamant en cours de travail. Sans se soucier le moins du monde du hurlement des sirènes d'alarme qu'il vient de déclencher, le Bonze saisit le diamant entre son pouce et son index. Après l'avoir observé longuement à la lumière, il le glisse dans un petit sachet.

Dans les couloirs, les policiers se sont regroupés en silence devant les portes d'accès. Lorsque le commissaire et Mickey arrivent à leur tour, la voix de Minnie grésille dans les récepteurs radio.

« Il a disparu des écrans ! Mickey ! Commissaire ! Vous m'entendez ?

– Nous sommes prêts, Minnie ! annonce le commissaire Fhou. Déverrouillez les pórtcs ! »

Mickey est un des premiers à entrer, mais comme les autres, il doit se rendre à l'évidence : le Bonze s'est volatilisé.

Une fouille méticulcuse est alors ordonnée par Fhou. Les policiers se dispersent dans la pièce et tous les coins et recoins sont examinés avec le plus grand soin. Mais c'est peine perdue, la salle est vide.

La voix de Minnie se fait à nouveau entendre.

« Je le vois ! s'écrie-t-elle, en fixant les écrans. Il sort par la porte située derrière le bâtiment ! »

D'un pas tranquille, le Bonze se dirige vers une petite camionnette bleue garée à proximité et démarre.

Par chance, une patrouille surgit à l'extrémité de la ruelle.

Le chauffeur aperçoit le Bonze et se lance à la poursuite du véhicule.

Après avoir parcouru les couloirs à toute allure, les policiers et les deux détectives se ruent dans les voitures et démarrent en trombe.

Guidés par le véhicule de chasse, les sept patrouilleurs débouchent dans l'avenue centrale.

« Elle est là-bas ! » hurle Mickey en désignant la camionnette qui zigzague au milieu des voitures.

En effet, à quelques dizaines de mètres de là, le Bonze profite de la circulation pour fausser compagnie à ses poursuivants.

Le plan du voleur fonctionne à la perfection car, peu après, les hommes de Fhou perdent sa trace.

« Appel général… je répète, à toutes les voitures, appel général ! »

En l'espace de cinq minutes, tous les policiers de Milong sont sur les dents. Le Bonze a encore frappé ! Les rues de la ville sont systématiquement quadrillées et les hommes n'ont qu'un seul objectif : retrouver le voleur.

La partie n'est pas si facile que ça, mais, après une heure de recherches intensives, les forces de l'ordre finissent par mettre la main sur le véhicule volé.

« Patrouilleur 15 à commissaire Fhou !

– Ici, Fhou. Je vous écoute !

– Nous venons de retrouver la camionnette bleue… Elle est stationnée à l'angle du boulevard Biwaka et de l'avenue Shawaga. »

L'homme termine à peine son rapport que Mickey et Minnie ont déjà le nez plongé dans le plan de Milong qu'ils avaient emporté pour leur voyage.

« Boulevard Biwaka… page 88. Là ! crie

Mickey en montrant un point de la carte.

– Oh ! mon dieu, gémit Minnie, regarde, ici... juste à côté !

– Bon sang... l'hôpital central ! »

Sans perdre une seconde, le commissaire Fhou et ses hommes font demi-tour sur les chapeaux de roues, et foncent vers l'hôpital.

Chapitre 7
RAPT MANQUÉ

Mickey, Minnie et le commissaire assistent à un cambriolage du Bonze. Il leur échappe et laisse son véhicule à côté de l'hôpital où séjourne Sesho.

Loin de l'agitation de la ville, Sesho se repose dans sa chambre. Sa santé n'a cessé de s'améliorer ces dernières heures. Bien sûr, il est encore inconscient, mais les médecins pensent que cela ne devrait plus durer très longtemps.

Son sommeil est profond… si profond qu'il n'entend pas la porte de sa chambre s'ouvrir lentement.

Dans l'entrebâillement, le masque du Bonze apparaît ; impassible, il fixe l'homme paisiblement allongé.

Vêtu d'une blouse blanche de médecin,

un calot sur la tête et le visage caché derrière un masque de chirurgien, le bandit referme la porte derrière lui et s'avance dans la chambre. Il remonte le drap sur le visage de Sesho, débloque les roulettes du lit et le pousse vers la porte.

Mickey, Minnie et les policiers arrivent à proximité de l'hôpital.

« Qu'est-ce qui vous fait croire que le Bonze va s'attaquer à votre ami ? demande le commissaire.

– Il l'a déjà fait, rétorque Minnie. Son appartement a été mis à sac et fouillé de fond en comble.

– Sesho sait quelque chose de capital sur le Bonze, continue Mickey, et j'ai bien peur que sa vie ne soit en danger. »

Les véhicules s'arrêtent devant l'hôpital. Mickey et Minnie sortent en trombe et foncent dans les étages vers la chambre de Sesho. Trop tard ! Quand ils arrivent, elle est vide : leur ami a disparu !

Mickey ouvre la fenêtre et hurle à l'attention du commissaire Fhou et des quelques policiers restés en bas :

« Il a filé ! Surveillez les entrées, il ne faut pas qu'il nous échappe ! »

Il rejoint ensuite Minnie dans le couloir.

Elle est déjà en train d'interroger le personnel de l'étage.

Un médecin, que personne n'avait jamais vu auparavant, vient de passer. Il poussait le lit d'un malade vers les ascenseurs réservés au personnel soignant.

« Allons-y ! » s'écrie Mickey.

Minnie n'est pas tout à fait d'accord car l'ennemi n'est pas un débutant.

« Le Bonze est malin et il a plus d'un tour dans son sac. Ce n'est pas le genre à foncer tête baissée. Il a très bien pu faire semblant de prendre l'ascenseur et rester à cet étage.

– Tu as raison. Nous allons fouiller ce service. »

À quelques mètres de là, la porte du local d'entretien s'ouvre.

Un homme de ménage en sort, poussant un chariot de nettoyage équipé d'une grande panière à linge sale.

Il s'éloigne dans la direction opposée.

« Monsieur, s'il vous plaît ! » lance Minnie.

L'homme continue son chemin comme si de rien n'était.

Mickey fait confiance à l'intuition de Minnie et se met à courir en hurlant :

« Monsieur, avec le chariot ! Arrêtez-vous s'il vous plaît ! »

Comme pour les narguer, l'homme tourne la tête vers les deux détectives.

« Le Bonze… » s'exclament-ils en chœur.

Évidemment, l'homme ne les a pas attendus. Il lance son chariot vers eux et se précipite dans le premier ascenseur.

Le commissaire Fhou, hors de lui, les rejoint. Pour la seconde fois de la nuit, le Bonze lui a échappé.

Quant à Mickey et Minnie, ils ont d'autres soucis. En effet, Sesho a été retrouvé ligoté dans la panière à linge sale et tous craignent pour sa santé.

Les deux détectives attendent dans le couloir que les médecins examinent leur ami. Et quand ils entrent dans la chambre, ils ont la surprise de découvrir le petit jardinier, assis dans son lit, conversant avec les infirmières. Il est bien conscient et la vue de Mickey et Minnie le transporte de joie.

« Mes très chers amis, que je suis content de vous voir !

– Comment te sens-tu ? demande Mickey.

– Comme quelqu'un qui vient de passer une très longue nuit », déclare le malade un peu groggy.

La porte s'ouvre, laissant le passage au commissaire Fhou et à ses hommes.

Les présentations d'usage faites, la police commence à interroger Sesho.

Si celui-ci ne se rappelle pas son accident, il se souvient parfaitement de ce qui s'est passé avant.

« Tout a commencé mercredi au musée, raconte Sesho. Souvent, avant d'aller me coucher, je fais une dernière ronde, pour vérifier que tout est bien en ordre. Or, ce soir-là, je remarquai de la lumière dans la grande salle centrale, où se trouve la maquette du temple. J'ai pensé que quelqu'un avait oublié d'éteindre les lampes. En m'approchant, j'ai commencé à entendre du bruit. Quelqu'un parlait. J'ai entrouvert la porte, et là… j'ai vu le Bonze.

– Le Bonze ! s'exclame Mickey.

– Oui. Celui dont tout le monde parle.

Il était là, à quelques mètres de moi, en grande conversation avec… personne. Il discutait tout seul, faisait de grands gestes et gesticulait dans tous les sens. De là où je me trouvais, je n'entendais pas ce qu'il racontait mais je voyais bien qu'il n'était pas content. »

Le souvenir de cette drôle de soirée continue d'émouvoir Sesho car il lui faut quelques minutes pour retrouver son calme et reprendre son histoire.

« J'aurais dû m'enfuir à ce moment-là, remarque-t-il, mais la curiosité a été la plus forte. J'ai ouvert la porte en grand pour entrer dans la salle. Par malheur, j'ai accroché un petit bonsaï avec la manche de ma chemise. Au bruit qu'a fait l'arbuste en touchant le sol, le Bonze s'est retourné et m'a aperçu. »

L'histoire est si palpitante qu'un silence absolu règne dans la chambre.

« Et alors ? poursuit Minnie.

– Alors, j'ai eu peur, et je me suis sauvé. Il m'a poursuivi un moment, mais j'ai réussi à me cacher.

– En entrant, ajoute Mickey, avant de faire tomber le bonsaï, as-tu eu le temps d'entendre quelques mots ?

– Oui. Il parlait d'une porte… "La porte de l'harmonie suprême".

– Seulement ? soupire le commissaire.

– Désolé ! Je n'ai rien entendu d'autre.

– Mais comment as-tu été blessé ? demande Mickey.

– Le lendemain matin, j'ai déposé un message à votre hôtel et je suis retourné travailler, comme d'habitude. En arrivant près du temple, une voiture m'a foncé dessus. Après je ne me souviens de rien. »

Pensif, Mickey s'éloigne du lit sur lequel repose son ami.

« Bizarre, bizarre, murmure-t-il. Que faisait donc le Bonze dans ce petit musée sans importance ? »

Sesho, qui l'a entendu, s'écrie :

« Sans importance ! Cet ancien temple est primordial dans l'histoire de notre pays ! »

Chapitre 8
LA LÉGENDE OUBLIÉE

Le Bonze court toujours… Sesho, sur son lit d'hôpital, raconte aux policiers et aux détectives comment il a surpris le Bonze dans le musée.

Assis sur son lit d'hôpital, Sesho est maintenant entouré d'une multitude de gens : des policiers, des médecins, et même des malades, fascinés par son récit.

« Vous savez tous que notre pays est passé maître dans l'art de la miniaturisation. La micro-informatique, les microprocesseurs, tout cela n'a plus de secrets pour nous.

Entièrement d'accord avec Sesho, la foule des visiteurs acquiesce en hochant la tête.

« C'est vrai, il a raison… il a raison !

– Mais ne croyez surtout pas que tout

ça soit arrivé comme ça ! poursuit Sesho.

– Que veux-tu dire ? demande Minnie.

– Simplement que nous avons toujours été les meilleurs dans ce domaine. Tout commence au premier millénaire, dans le temple de la Paix Céleste. À cette époque, les moines inventèrent l'art du bonsaï et du jardin miniature.

– Ce que nous, occidentaux, appelons le jardin japonais, reprend Mickey.

– Tout à fait exact, mon ami. En quelques siècles, ces moines sont devenus des maîtres capables de reproduire n'importe quelle scène en miniature. Et notre musée possède la plus ancienne et la plus magnifique d'entre elles.

– De quoi parles-tu ? » demande Mickey, intrigué.

La curiosité est à son comble. La foule s'est rapprochée du lit de Sesho. Tous les visiteurs présents attendent la suite de son histoire.

« …Mais de la copie du mont Ikiwa et du temple de la Paix Céleste posé sur ses flancs !

– Tu veux dire, s'étonne Minnie, que la

maquette que nous pouvons admirer dans la salle centrale a été réalisée par les moines du premier millénaire.

– Bien sûr ! lui répond Sesho. Il s'agit de leur œuvre ultime. D'une précision presque surnaturelle, elle représente le temple et son environnement dans ses moindres détails. Rien ne manque.

– Ça alors ! s'exclame Mickey. C'est vraiment fantastique ! Et que sont devenus les moines ?

– Là est le mystère. Une fois leur chef-d'œuvre réalisé, ils ont disparu. Où sont-ils partis s'installer ? Personne ne l'a jamais su… Seule une partie de leur savoir-faire a subsisté. »

Sesho a présumé de ses forces car juste après la fin de sa phrase, sa tête commence à tourner.

Heureusement les médecins sont là, et ils font rapidement évacuer la chambre pour permettre à Sesho de se reposer.

Une demi-heure plus tard, tout le monde se retrouve dans le bureau du commissaire Fhou.

« Votre ami Sesho est un merveilleux conteur, déclare le policier, mais tout cela ne résout pas notre problème. On ne sait toujours pas qui est le Bonze et comment il opère ! »

Mickey reste pensif. Depuis le début de la réunion, une question lui trotte dans la tête.

« Je ne suis pas tout à fait d'accord avec vous, commissaire. Comprenez-moi bien : quel rapport y a-t-il entre l'art ancien de la miniature et le monde moderne où cet art est roi dans le domaine de la technologie ? »

Fhou le regarde en fronçant les sourcils.

« Je ne vois pas ce que vous voulez dire, Mickey.

– C'est simple : que vient faire un voleur, spécialisé dans les technologies de la miniaturisation, dans le temple où les moines ont inventé l'art du bonsaï ? »

Visiblement dépassé par le problème, Fhou reste éberlué, la bouche ouverte, et regarde fixement Mickey.

« Je suis sûr qu'il existe un lien entre les deux, murmure Mickey.

– Et si on fouillait le musée ? propose

Minnie. Cela nous aiderait peut-être à trouver une piste. »

Mickey s'approche du commissaire qui a gardé son air béat.

« Pouvez-vous nous obtenir un mandat de perquisition pour demain matin, commissaire ? »

En un instant, Fhou a retrouvé tous ses esprits.

« Sans problème, déclare-t-il. Puisque l'enquête l'exige, nous fouillerons cet endroit de fond en comble. Je m'en occupe. »

Voilà pourquoi, le lendemain matin, une longue file de voitures de police se dirige vers le musée.

Tiré de son sommeil par le commissaire et ses hommes, le directeur ne décolère pas. Et ce n'est pas la présence de Minnie qui l'incite à plus de calme.

« Ainsi vous êtes derrière tout cela, s'exclame-t-il en la voyant. J'étais sûr que vous m'amèneriez des ennuis. »

Puis, se tournant vers le commissaire, il l'interpelle.

« Quant à vous, qui connaissez nos tra-

ditions, que venez-vous faire ici, à profaner
les lieux sacrés de nos ancêtres ? »

Fhou ne s'en laisse pas conter et donne
l'ordre de commencer la perquisition.

« Que venons-nous chercher exacte-
ment ? murmure-t-il à l'oreille de Mickey.

– À vrai dire je n'en sais rien, mais je
sens que la solution se trouve ici. »

Les hommes s'éparpillent dans le temple
et la fouille systématique commence. Du
sol au plafond, les salles sont sondées et

les jardins explorés ; les appartements des gardiens et des jardiniers examinés…

Même celui du directeur du temple est passé au peigne fin, au grand déplaisir de l'homme et de ses chats.

Il faut bien se rendre à l'évidence : on ne découvre rien… absolument rien. Pas de cachettes, pas de souterrains, pas de pièces secrètes…

La fouille n'ayant rien donné, le directeur refait son apparition, plus furieux et plus enragé que jamais.

« Quittez ces lieux sacrés que vous avez profanés ! Rentrez chez vous et ne revenez plus jamais ! Quant à vous, commissaire, vous entendrez parler de moi très bientôt, je vous le garantis ! »

Et, dans un accès de colère, il met tout le monde à la porte.

Fhou est bien ennuyé, tout comme Mickey et Minnie, qui restent persuadés que le Bonze et le temple sont liés.

Mais les détectives n'ont pas dit leur dernier mot.

« Puis-je vous soumettre une idée, commissaire ? interroge Mickey.

– Permettez-moi humblement de vous dire, mon cher Mickey, que si elle est aussi efficace que la précédente, je ne pourrai que répondre non.

– Ne vous inquiétez pas, reprend le détective, je crois celle-ci excellente. »

Chapitre 9
PIÈGE

Sesho explique l'histoire du temple de la Paix Céleste. Mickey et Minnie décident de le fouiller avec la police... mais sans succès.

Le lendemain matin, dans les rues animées et grouillantes de Milong, les petits crieurs de journaux annoncent une extra ordinaire nouvelle.

« Révolution chez Matshosito », « Mise au point d'un nouveau composant électronique », « Avec l'octium, les nouveaux ordinateurs auront la taille d'une boîte d'allumettes ».

Au même moment, dans le bureau du chef de la police, rien ne va plus pour le commissaire.

« Que signifie cette histoire de fou,

Fhou ? Pourquoi avez-vous perquisitionné ce musée ?

– Je pense qu'il existe un lien entre lui et le Bonze, monsieur le directeur.

– Vous… pensez ! Mais vous n'êtes pas payé pour penser, hurle le directeur, vous êtes payé pour agir et pour réussir.

– Oui, monsieur le directeur, acquiesce humblement Fhou.

– Et qu'est-ce que c'est, cette histoire de communiqué de presse sur… l'octium… ?

– Rien de spécial… monsieur le directeur. Ce n'est qu'un appât pour piéger le Bonze.

– Priez pour qu'il soit efficace, mon petit Fhou, sinon ça ira mal ! »

La nuit est tombée depuis plusieurs heures sur Milong. Une nuit sombre sans lune, ce qui n'est pas pour arranger les affaires de la police.

Dans la salle de contrôle de la société Matshosito, Minnie et le commissaire observent les écrans.

Contrairement aux fois précédentes, les hommes du commissaire ne sont pas avec lui. Disséminés dans toute la ville, ils ont ordre de pister le Bonze sans intervenir. Quant à Mickey, toujours accroché à son idée, il s'est caché à proximité du musée.

À deux heures du matin, on signale qu'une voiture s'est arrêtée non loin de la société Matshosito. Aucune trace du chauffeur. Après vérification, il s'agit d'une voiture volée. Un quart d'heure plus tard, le voleur fait son apparition dans le laboratoire principal et dérobe l'octium.

Prévenus par le déclenchement des sirènes, les gardes se précipitent vers le lieu de l'intrusion.

Dans le local de contrôle, Minnie et Fhou ont la situation bien en main.

«Attention ! À toutes les unités ! Le Bonze vient de disparaître. Tenez-vous en alerte.

– Là, commissaire ! »

Du doigt, Minnie désigne un des écrans de surveillance extérieure. L'homme vient d'y apparaître, et se dirige vers les voitures garées non loin.

Le voleur est pris au piège. Les véhicules stationnés à proximité de la société Matshosito appartiennent à la police de

Milong et tous sont munis d'un puissant
émetteur.

« À toutes les unités ! Branchez les systèmes de détection », ordonne le commissaire Fhou.

Après quelques essais infructueux, le
voleur fracture la portière d'un break jaune
et démarre.

Sur les radars de la police, un petit point
s'allume et se déplace lentement.

Les policiers se mettent en route.

Du poste de contrôle, Minnie entre en contact avec Mickey :

« Le Bonze est parti, confirme-t-elle. Je prends ma voiture et je te rejoins au musée.»

Peu après, branchés sur la fréquence radio de la police, les deux détectives suivent la progression du Bonze.

Comme à son habitude, le voleur semble vouloir promener la police dans toute la ville. Soudain, après les avoir semés, le voyant lumineux du break jaune s'immobilise. Lorsque la police arrive sur les lieux, le conducteur a disparu.

Aussitôt prévenus, Mickey et Minnie redoublent d'attention. Il ne s'est pas passé plus de dix minutes quand, brusquement, le Bonze réapparaît devant eux.

Persuadé d'être seul, il entre d'un pas tranquille dans le musée.

Les deux détectives préviennent immédiatement le commissaire Fhou. Celui-ci arrive cinq minutes plus tard, boucle tout le quartier et pénètre en force dans les vieux bâtiments avec ses hommes.

Pour Mickey et Minnie, l'affaire est claire : le Bonze ne peut plus leur échapper.

La poursuite s'engage à l'intérieur du musée. Toutes les lumières ont été allumées et les issues sont bloquées. La fouille peut commencer. Malheureusement, comme la veille, elle ne donne rien.

En effet, quand, après avoir inspecté tous les couloirs, toutes les salles et tous les jardins, Mickey et Minnie se retrouvent dans la grande salle d'exposition, le Bonze a une nouvelle fois disparu.

« C'est à devenir fou ! s'exclame le commissaire.

– Il n'a pas pu s'envoler tout de même ! enrage Mickey. Êtes-vous certain que toutes les salles ont été visitées ?

– Mes hommes sont des professionnels, rétorque Fhou d'un air indigné. Ils connaissent leur travail.

– Excusez-moi, cette disparition est tellement incompréhensible ; nous étions sûrs de l'attraper cette fois…

– Je comprends que vous soyez déçu, mais vous n'avez rien à vous reprocher, le rassure Fhou. Vous avez fait ce que vous deviez faire. »

Accablé, le commissaire bat le rappel de

ses troupes et, après avoir désigné deux hommes pour garder les lieux, il s'apprête à rejoindre le commissariat.

« Voulez-vous que je vous raccompagne à votre hôtel ? questionne-t-il.

– Merci beaucoup, mais nous allons rester encore un peu », réplique Mickey.

Quelques minutes plus tard, Mickey et Minnie se retrouvent seuls dans la grande salle du musée.

« Incroyable ! remarque Mickey. Il était là, à portée de notre main, et pfffout !!!… plus rien.

– Ici comme ailleurs, il disparaît à volonté, déclare Minnie. Comment fait-il ?

– Oh ! mais l'histoire est très simple ! » glisse une toute petite voix.

Surprise, Minnie se retourne vers Mickey.

« Qu'as-tu dit ?

– Rien ! Je croyais que c'était toi qui… »

Ils se regardent, inquiets. Qui a parlé ? Ils sont seuls dans le temple. Alors qui ? Le Bonze !

Mickey et Minnie ont beau fouiller des yeux la grande salle, scruter les moindres recoins, ils ne voient personne.

Minnie se retourne et découvre une chose incroyable, une chose tout à fait extraordinaire. Le temple miniature est habité.

Sous leurs yeux éberlués, des dizaines de tout petits moines sortent des bâtiments et les saluent, riant de leur surprise.

« Bienvenue au temple de la Paix Céleste », dit l'un d'eux en s'inclinant.

Chapitre 10
LA MAIN DANS LE SAC

Nouveau cambriolage et nouvelle fuite du Bonze. Peu après, Mickey et Minnie découvrent des petits hommes dans le temple miniature.

Pour Mickey et Minnie, la stupéfaction est totale.

« M… mais qui êtes-vous ? bégaie Minnie.

– Nous sommes la communauté des moines du premier millénaire », répond le plus vieux des moines.

Chancelante, Minnie se raccroche au bras de Mickey.

« Fais quelque chose… pince-moi ! Je rêve !

– Ne croyez pas cela, mademoiselle, rétorque le minuscule moine. Je sais que ce que vous voyez vous paraît impossible, mais, si vous m'en laissez le temps, je vais tout vous expliquer. Nous savons désormais que vous êtes dignes de confiance. »

Tandis que les autres moines le rejoignent et s'assoient en cercle autour de lui, le vieil homme croise les bras et commence son histoire.

« Comme le racontent les légendes, notre communauté est à l'origine de la création des premiers bonsaïs. Au début, nos recherches étaient limitées : nous voulions simplement réduire la croissance des arbres, ralentir leur pousse en comprimant leurs branches et leurs troncs.

Nos techniques se sont tant améliorées qu'un jour, l'un d'entre nous a fait une extraordinaire découverte. La matière étant formée en majeure partie de vide, supprimer ce vide devait permettre de réduire la taille des objets… »

Devant le regard ébahi de nos amis, le vieil homme souriant fait une pause. Face à lui, Mickey semble pétrifié et Minnie se cramponne à son bras pour ne pas tomber.

« Vous ne vous sentez pas bien, honorables étrangers… ? » demande le moine.

Comme sortant d'un cauchemar, Mickey balbutie :

« Si… enfin, non… ! Mettez-vous à notre place. Nous sommes en plein conte de fées. Il ne manque plus que la vilaine sorcière.

– Oh ! ne vous inquiétez pas, elle arrive ! Pour réduire ce vide, reprend le vieux moine, nous nous sommes mis à étudier différents systèmes. Lors de ces recherches, nous avons découvert les extraordinaires propriétés d'un gong dont les fréquences vibratoires provoquaient une concentration instantanée des atomes, donc une réduction immédiate de la taille et du volume des objets. Ce gong, nous l'avons appelé…

– La "porte de l'harmonie suprême", révèle Minnie.

– Comment savez-vous cela ? s'étonne le vieil homme.

– Un détail sans importance, avoue Mickey. Mais qu'en est-il de la méchante sorcière ?

– J'y arrive… La découverte de cette porte fut pour nous une révélation. Après avoir réduit des arbres, des maisons… l'idée nous vint de miniaturiser des hommes : NOUS !

– D'après ce que je vois, la réussite fut complète, remarque Minnie.

– Si complète que nous avons pris peur. Cette merveilleuse découverte, mise entre de mauvaises mains, pouvait devenir très très dangereuse.

– Exact, confirme Mickey. Une simple valise aurait suffi ensuite pour transporter une armée et envahir un pays voisin, par exemple. Vous ne nous avez toujours pas parlé de la vilaine sorcière de l'histoire.

– Nous y arrivons, reprend le moine. Devant tant de dangers, nous avons décidé de disparaître avec notre invention. Avant de reprendre une taille minuscule, nous avons bâti cette reproduction fidèle de notre temple, et nous avons décidé d'y rester cachés.

À tour de rôle, l'un d'entre nous, revêtant des habits laïcs, devait de temps en temps utiliser le gong pour reprendre sa taille normale et se mettre en quête d'eau, de nourriture ou de vêtements.

Les années passèrent, les décennies et les siècles… Nous nous rendîmes alors compte que non seulement nous ne mourions toujours pas, mais que nous vieillissions très lentement.

Nous ne parvenions pas à nous expliquer la cause de ce phénomène jusqu'au jour où il fallut nous rendre à l'évidence : l'un d'entre nous, invalide depuis son plus jeune âge, le seul à n'avoir pas pu aller chercher de la nourriture, était aussi le seul à n'avoir pas vieilli du tout.

Nous en avons donc déduit que ce processus de réduction de la matière, opéré par le gong, stoppait le vieillissement. Ainsi, nous ne vieillissons que pendant le temps où nous reprenons notre taille normale. Des scientifiques trouveront peut-être un jour la clef de cette énigme… En tout cas, le fait est que nous sommes toujours vivants, après tant de siècles…

Je reviens à ce qui préoccupe Mickey : la vilaine sorcière. Il y a une quinzaine de jours, quelqu'un a surpris l'un des nôtres alors qu'il utilisait le gong. Il s'en est emparé et nous avons appris depuis peu qu'il s'en sert pour faire le mal.

– Le Bonze ! s'exclame Mickey. Voilà comment il faisait pour apparaître et disparaître sans laisser de traces.

– Connaissez-vous le nom de votre voleur ? demande Minnie.

– Bien sûr, réplique le vieil homme… Nous voulions nous en occuper nous-mêmes, mais nous sommes trop vieux et, sans le gong, nous ne pouvons reprendre notre taille normale. Est-ce que vous accepteriez de nous aider ?

– Avec joie ! répondent en chœur Mickey et Minnie.

– Approchez-vous ! Voilà comment vous allez faire… »

Un peu plus tard, le directeur du musée, fou de rage, fait son apparition. Entouré de ses chats, il se précipite vers Mickey et Minnie.

« Que faites-vous ici ? vocifère-t-il. Sortez immédiatement ! Vous m'entendez ! »

Après ce qu'ils viennent de voir et d'entendre, les deux détectives ne se laissent pas impressionner.

« Calmez-vous ! ordonne Mickey. Parlez-nous plutôt de la "porte de l'harmonie suprême".

– Je n'ai rien à vous dire ! éructe le directeur. Partez, ou j'appelle la police !

– Elle est là, annonce le commissaire qui vient juste d'arriver. Répondez donc à la question de l'honorable détective.

– Je ne sais rien. Je n'ai jamais entendu parler d'une quelconque porte.

– Il ne s'agit pas d'une porte mais d'un gong que vous avez volé aux moines, et dont les pouvoirs vous permettent de devenir si petit que plus personne ne vous voit.

– Vous êtes fou, s'exclame le directeur. Vous dites n'importe quoi ! »

Mickey se penche au-dessus du temple miniature et en retire un tout petit gong.

« Un gong tel que celui-ci, monsieur le directeur, dont vous ne semblez pas connaître toutes les propriétés. »

Mickey donne un petit coup sec sur le gong qu'il tient dans sa main.

Un son doux et mélodieux s'en échappe et, à la surprise générale, le même son se fait entendre sous les vêtements du directeur du temple. Démasqué, il bondit en arrière et, plongeant la main dans son ample robe, il sort le gong original.

« Vous m'avez découvert, mais vous ne m'aurez jamais !

– Non ! s'écrie Mickey. À votre place, je ne ferai pas ça… ! »

Le Bonze fait la sourde oreille et frappe d'un coup sec sur son gong.

Alors que la transformation s'opère sous les yeux effarés du commissaire Fhou, le voleur ne comprend pas pourquoi Mickey et Minnie gesticulent.

Devenu minuscule, le directeur se retrouve nez à nez avec ses chats qui se jettent sur lui. Ils ne feraient qu'une bouchée de leur maître, mais Mickey récupère le gong et d'un coup sec frappe dessus.

En une fraction de seconde, le voleur retrouve sa taille normale. C'est un homme en haillons, les habits lacérés, que le commissaire emmène avec lui.

ÉPILOGUE

Pour certains, un voleur revient toujours sur les lieux du crime. Le Bonze, lui, n'avait pour ainsi dire pas quitté les lieux.

Le calme est revenu dans le temple de la Paix Céleste. Le directeur a été remplacé et Sesho, enfin rétabli, a retrouvé son travail de jardinier. Désormais, c'est lui qui veillera sur les moines et leur apportera ce dont ils auront besoin. Les moines n'auront plus à utiliser le gong et pourront se consacrer pleinement à leur vie monastique.

Mickey, Minnie et le commissaire Fhou, réunis devant la somptueuse maquette, sont accueillis par les petits moines en tenue d'apparat. Aujourd'hui est un grand jour : la « porte de l'harmonie suprême » va retrouver sa place dans le temple miniature

et les deux détectives vont être décorés de l'ordre du Grand Cerisier Blanc.

Au moment où Mickey, le sourire aux lèvres, se penche pour recevoir sa minuscule décoration, le vieux moine lui confie son inquiétude :

« Très honorable ami, notre sécurité dépend aussi de votre silence… Saurez-vous garder ce secret ?

– Vous pouvez compter sur nous, le rassure Mickey. Et en ce qui concerne l'ancien directeur, soyez tranquille, personne ne l'a pris au sérieux.

– Et vous, commissaire Fhou ?

– Je serai muet comme une carpe, promet le policier. D'ailleurs, mes souvenirs de cette histoire sont devenus tellement minuscules que je ne me les rappelle même plus ! » dit-il en éclatant de rire.

Table des matières

22. FAUX BILLETS, VRAIS VOLEURS

De faux billets circulent à Mickeyville ! Minnie et Mickey se lancent aussitôt sur la piste des escrocs. Mais, à la surprise de tous, l'enquête de la police indique que le coupable est... Mickey lui-même !

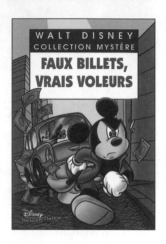

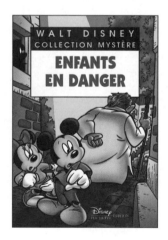

24. ENFANTS EN DANGER

Drôle de coïncidence ! Un étranger s'installe dans un paisible village et deux enfants disparaissent. Le coupable semble tout désigné. Ignorant les préjugés de la population, Mickey et Minnie se lancent dans l'enquête...

COLLECTION MYSTÈRE

Imprimé en France - Produit complet IME
Dépôt légal n°1674 – Mai 2000
46.35.1704.01/9 – ISBN : 2.230.01057.3
Loi n° 49-956 du 16 juillet 1949
sur les publications destinées à la jeunesse.